LES PRODUITS DU TERROIR EN FRANCE

Texte de Hervé Lauriot Prévost

Merci aux illustrateurs des Guides Gallimard et de Gallimard Jeunesse :

A. Bodin, F. Bony, J.-Ph. Chabot, G. Curiace, F. Desbord
N. Gilles, C. Lachaud, J.-M. Pau, F. Place, P. Robin, F

Crédits photographiques :
© Gallimard : L. Giraudou, E. Guillemot, P. Léger, A
Y. Sacquepée. © CIDIL : p. 2?-??

Offert par les stations ELF et ANTAR

GUIDES GALLIMARD

LES PRODUITS DU TERROIR

Les produits du terroir, quel sujet! En existe-t-il un plus représentatif de la vraie France ? Celle que l'on aime visiter, celle où l'on aime vivre, celle que l'on aime, tout simplement. A côté des produits habituels se pressent d'innombrables spécialités, liées à une culture, à une région, qui apportent une richesse inégalée au monde dans les goûts et les saveurs. Il n'est pas un petit coin de France qui n'ait son vin, son fromage, sa pâtisserie, et surtout, son tour de main pour faire de tout ceci le régal de nos palais. Voici donc des produits à découvrir. Ils proviennent de tous les coins de France. Certains sont bien connus, d'autres moins.

L'art de vivre, la plus grande des spécialités françaises.
Un repas doit être une véritable fête pour les sens. Et il n'y a pas de plaisir gustatif complet sans plaisir visuel. De cette volonté d'harmonie est né tout un rituel -disposition des couverts, pliage des serviettes- et surtout la création de services de table.

LES CONDIMENTS

Les condiments ont un rôle particulier dans la cuisine. Utilisés à l'origine pour relever le goût des viandes trop fades ou trop avancées, ou pour les conserver de longs mois, ils ont pris une importance déterminante dans la gastronomie d'aujourd'hui. A part le sel, ils sont tous d'origine végétale. Ils peuvent être consommés tels ou, au contraire, donner lieu à de subtiles préparations. Tous ont leur personnalité, leur saveur et leur usage particulier. Très différents selon les régions, ils sont souvent marqués par l'empreinte de leur terroir. La moutarde n'est-elle pas la spécialité de Dijon ou de Meaux, l'olive du Midi et les herbes de Provence ? Et c'est souvent à ses condiments que l'on reconnaît une cuisine. Cherchez-les donc dans les plats régionaux que vous dégusterez cet été.

Œillets

Schéma d'un marais salant

Vasière

Sel marin

Fleur de sel, fine et très iodée

MARAIS SALANTS
A Guérande ou en Camargue, les paludiers exploitent des salines d'où l'on extrait le sel de mer qui se cristallise par évaporation. La fleur de sel, ou sel menu, récupérée en surface, est très recherchée.

L'AÏOLI
C'est une sauce à l'huile d'olive fortement parfumée d'ail pilé.
1. Eplucher les gousses d'ail et les déposer dans un mortier.
2. Les réduire en pâte au moyen d'un pilon.
3. Ajouter une pincée de sel, un jaune d'œuf et verser l'huile à petit filet en tournant.
4. Faire attention à verser l'huile très lentement et à ne jamais cesser de tourner. On doit obtenir une pommade épaisse.
5. Après avoir versé environ 3 à 4 cuillerées d'huile, ajouter le jus d'un citron et une cuillerée d'eau tiède.
6. Continuer à verser l'huile petit à petit.

1 2 3

LES OLIVES
Destinée à la table ou au pressoir, l'olive est le fruit méditerranéen par excellence.

Aglandeau (1), grossanne (2) ou **cailletier (3)** apportent chacun leur saveur à la cuisine du Midi.

On distingue l'huile d'olive vierge extra (taux d'acidité <1 %), la fine (taux d'acidité < 1,5 %) et la semi-fine (taux d'acidité < 3,3 %). L'huile plus acide est appelée huile d'olive pure.

HUILES
Extraites de graines ou de fruits, très parfumées ou neutres selon leur degré de raffinement, les huiles sont indispensables à la cuisine. On les utilise pour la cuisson, la friture, l'assaisonnement des salades ou la composition de condiments comme la mayonnaise ou l'aïoli.

Huile de tournesol

Huile d'olive

Meule

Huile de pépins de raisin

Huile de noix

Scourtins

OLIVIER
Productif tous les deux ans, il peut devenir plusieurs fois centenaire.

HUILE D'OLIVE
Écrasées dans une meule, les olives forment une pâte qui sera placée dans des scourtins, puis pressée. Il faut 5 à 6 kg d'olives pour obtenir 1 litre d'huile. L'huile d'olive vierge est un pur jus de fruit obtenu sans aucun mélange.

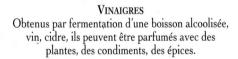

VINAIGRES
Obtenus par fermentation d'une boisson alcoolisée, vin, cidre, ils peuvent être parfumés avec des plantes, des condiments, des épices.

LE PAIN

Pour tous les Français, le pain a d'abord une valeur symbolique. Ne doit-on pas gagner son pain à la sueur de son front ? Combien de fois a-t-on mangé trop vite son pain blanc n'ayant plus devant soi que du pain noir ? Tout cela pour dire qu'on ne peut imaginer un repas sans pain.

Chaque province, chaque village parfois, propose sa propre recette pour accompagner ses spécialités. Toujours faits à partir de farine de blé, de froment ou de seigle, les pains se présentent aujourd'hui sous d'innombrables variétés, aux noix, aux raisins, au cumin, au fromage et même aux algues, pains brillés, complets, pains dits «de campagne», pains de mie. Leurs formes sont innombrables, flûtes, baguettes, bâtards, miches, couronnes, pains en épi, fougasses, brioches, pognes… A vous de choisir celui qui accompagnera votre foie gras, vos fruits de mer ou vos fromages, montrant ainsi à vos hôtes vos qualités de fin gastronome. Et pourquoi ne pas profiter de vos vacances pour faire votre propre pain ? Il vous faudra juste un peu de patience…

Pain aux noix

Pain aux céréales

Pain de campagne

Pain de seigle aux raisins

Pain de blé décoré

Une bonne baguette se distingue par sa croûte dorée et croustillante.

Pain à la farine complète

Boule de campagne

La fougasse est une galette au levain et à l'huile.

FAIRE SON PAIN

LE LEVAIN
250 ml de lait, 3 cuill. à soupe de yaourt maigre, 125 g de farine de blé

1. Faire tiédir le lait et ajouter le yaourt, verser dans un récipient gardant la chaleur et couvrir. **2.** Laisser reposer dans un endroit chaud 6 à 8 heures. Le mélange est prêt quand il mousse et forme un lait caillé épais. **3.** Lorsque le lait est caillé, ajouter la farine et mélanger. Laisser reposer dans un endroit chaud de 2 à 5 jours.

LA PÂTE À PAIN
375 ml d'eau tiède, 250 ml de levain, 625 g de farine, 2 cuill. à soupe de farine de maïs, 1 cuill. à soupe de sel

4. Dans un récipient, mélanger l'eau, le levain et 315 g de farine. Couvrir et laisser reposer une nuit. **5.** Ajouter le sel et la farine restante et pétrir la pâte obtenue 1 ou 2 mn. Laisser reposer 10 mn.

6. Pétrir à nouveau pendant 10 mn. Ajouter, si besoin, de la farine pour éviter qu'elle ne colle. **7.** Déposer dans un récipient huilé, couvrir et laisser lever la pâte jusqu'à ce qu'elle ait doublé de volume. L'aplatir avec la paume de la main. Former une boule.

8. Placer le pain sur de la farine de maïs. Couvrir avec un tissu. Laisser gonfler. Régler le four à 190° C.

9. Avec un couteau tranchant, faire une incision sur le dessus du pain de 1 cm de profondeur, puis vaporiser à l'eau froide. Enfourner et laisser cuire 10 mn. Vaporiser à nouveau. Répéter l'opération une seconde fois. Faire cuire enfin 40 mn de plus (la cuisson dure 1 heure au total). Placer le pain sur une tôle et laisser refroidir.

COQUILLAGES ET CRUSTACÉS

HOMARD

Le homard breton est le prince des marchés. Pêché avec des casiers posés sur des fonds rocheux près des côtes, il donne lieu à toutes sortes de recettes, se mange grillé ou cuit au court-bouillon, froid ou chaud,

avec un beurre fondu ou une mayonnaise.

Les fruits de mer ont la particularité d'unir parfaitement l'utile à l'agréable. On n'imagine pas un repas de fête sans leur présence et ils offrent en prime le luxe d'une véritable cure marine à table. Et si, aujourd'hui, on peut les déguster en toutes saisons, il ne faut pas oublier que certains d'entre eux, comme la coquille Saint-Jacques, ne se pêchent pas en été. Celles que l'on pourrait vous offrir en cette saison ne peuvent donc venir que du congélateur. De même, si les huîtres ne sont plus cantonnées aux mois en «R» (mois dont le nom contient la lettre «r»), elles sont réservées en été à ceux qui les aiment grasses et laiteuses. Pourquoi ne pas vous attabler devant un magnifique plateau de fruits de mer ?

PRÉPARER LE HOMARD

Pour couper les homards vivants, fendre leur carapace en deux dans le sens de la longueur en ayant soin de laisser les pinces attachées à chacune des moitiés. Retirer la poche de gravier. Faire éclater les pinces sans en séparer les éléments.

LANGOUSTINE

Elle est pêchée au chalut sur des fonds de vase où elle creuse de véritables galeries. Sa chair, poêlée ou au court-bouillon, est fine et délicate.

ARAIGNÉE

On la dit plus fine que le tourteau

LANGOUSTE

Rare, elle se distingue du homard par l'absence de pinces.

Vernis

Palourde

Clam

Coque

Praire

CASIERS

La plupart des crustacés sont pêchés à l'aide de casiers, autrefois en osier, aujourd'hui en plastique, sortes de pièges dans lesquels l'animal s'engage, attiré par un appât,

la *boued*, et d'où il ne peut ressortir. Ils sont signalés par des bouées et des drapeaux qui permettent au pêcheur de les remonter.

MOULE

Elle se consomme cuite (marinière ou farcie) ou crue.

TOURTEAU OU DORMEUR

Le plus connu des crabes.

Huître creuse

HUÎTRE

Plate ou creuse, elle est présente sur tout le littoral français, de Saint-Vaast-la-Hougue à Bouzigues. L'huître plate de Belon est la plus fine. Certaines espèces ne se trouvent que sur le lieu de leur production.

Pour l'ouvrir, il faut introduire la lame d'un fort couteau entre les valves et sectionner

le muscle. Attention, protégez-vous la main avec un torchon.

Belon

LES POISSONS

La variété des paysages sous-marins du littoral français explique celle des poissons que l'on y pêche. C'est ainsi qu'au retour des bateaux on trouvera des espèces des fonds rocheux côtiers, tels le bar – ou loup –, le lieu jaune et d'autres, habituées aux fonds meubles, comme la sole et la raie.

BOUILLABAISSE
C'est un ragoût de poissons que les pêcheurs marseillais préparaient avec ce qui restait dans leurs paniers après le marché. Sa composition varie en fonction des saisons et de la pêche. A l'origine, les poissons étaient lavés et cuits à l'eau de mer, ce que font encore quelques rares restaurants.

Rouget barbet ou surmulet

Pointu marseillais

La diversité des espèces va de pair avec celle des moyens de capture : chalut, palangre, lignes et filets. De petites embarcations, pointus ou caseyeurs, propres à chacune des régions et survivance d'anciens métiers, assurent cette pêche côtière grâce à laquelle les meilleurs produits de la mer arrivent tout frais sur votre table.

Ligneur breton
PALANGRE
Elle est formée d'une ligne pouvant atteindre 5 km de long et munie d'hameçons appâtés.

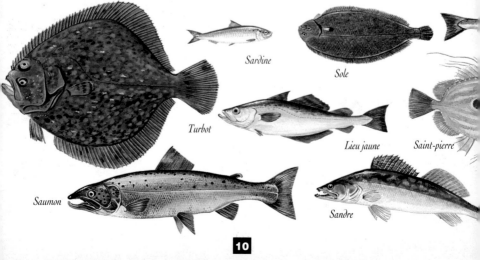

Sardine

Sole

Turbot

Lieu jaune

Saint-pierre

Saumon

Sandre

Bar ou loup (Méditerranée)

LE BAR GROS SEL

1. Après avoir vidé et écaillé votre poisson, placez-le dans une cocotte dans laquelle vous aurez préalablement disposé environ 3 cm de sel gris.

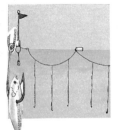

La palangre est mise à l'eau de nuit à proximité des côtes. On l'utilise pour la pêche à la daurade, au pageot, au loup.

2. Couvrez totalement le bar de sel (aucune partie ne doit être visible) et placez à four très chaud pendant 35 mn. Sortez la cocotte, extrayez la coque de sel et brisez-la, le bar est cuit à point.

LA JOUE

On oublie souvent de déguster une partie succulente de la tête du poisson, la joue. Elle se trouve entre l'œil et la branchie. On la soulève sur le poisson cuit avec la pointe du couteau.

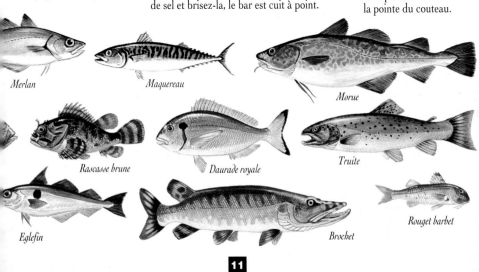

Merlan

Maquereau

Morue

Rascasse brune

Daurade royale

Truite

Eglefin

Brochet

Rouget barbet

PINTADE
Chair au goût sauvage

Le terme volaille rassemble les volatiles de basse-cour et les lapins domestiques. Des labels et des certifications ont été créés pour contrôler la qualité. Les éleveurs s'engagent à suivre un cahier des charges strict concernant la race, l'origine, le mode d'élevage et la durée de vie de leur production. Il existe aussi des volailles élevées à l'intention d'un chef particulier. On trouve dans presque chaque région de France des espèces qui se distinguent des volailles en batterie par leur saveur et la finesse de leur chair. Poulardes, chapons, canards et pintades de plein air sont autant de découvertes pour les amateurs de produits du terroir. Vous les trouverez sur place, dans les restaurants et chez les détaillants.

DINDE NOIRE DE TOURAINE
Chair blanche et fine

POULARDES ET CHAPONS
Féminines ou masculines, ces volailles sont élevées en liberté pendant 4 mois, puis enfermées dans une épinette (cage en bois) où on les engraisse. Délicieuses et onéreuses.

COMITÉ · INTERPROFESSIONNEL DE LA VOLAILLE DE **BRESSE**

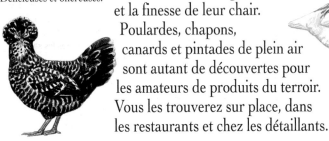

POULET DE LOUÉ ET COQ DE BRESSE
Provenant de deux grandes régions d'élevage, ces espèces représentent le haut de gamme en matière de volaille. Le coq de Bresse n'est jamais rôti mais cuisiné en sauce.

HOUDAN
Rare. Chair excellente réservée aux grands chefs.

Lapin fauve de Bourgogne *Lapin californien* *Lapin blanc du Bouscat*

LAPINS
Les lapins domestiques offrent de multiples possibilités aux gastronomes. Rôti, en civet, à la moutarde, en pâté, le lapin est toujours un régal.

Pigeon mondain ou meunier

POULE DE CHALLANS
Rare. Elevée en Vendée.

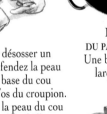

FOIE GRAS
Il est consommé sous différentes formes: cru, frais, mi-cuit ou en conserve.

CANARD DE CHALLANS
Il est réputé pour sa chair rouge et grasse, fine et savoureuse ; à déguster saignant.

OIE BLANCHE DE TOURAINE
On la retrouve souvent en confit ou en rillette.

Pour désosser un poulet, fendez la peau de la base du cou jusqu'à l'os du croupion. Coupez la peau du cou et placez la volaille sur le croupion. Détachez les chairs de la carcasse et renversez-les sous le ventre.

FRIGOUSSE DU PAYS DE RENNES
Une belle volaille, des lardons fumés et blanchis, des oignons, du cidre, un bouquet garni, du beurre, de l'huile et des légumes, spécialement des tomates pour l'été, voici un pot-au-feu pour toutes les saisons.

PIED ET PALETTE
Farci, sous crépine, le pied est délicieux grillé, cuit en daube ou braisé. Viande tendre, la palette a sa place dans la choucroute.

Cochon de lait ou porcelet

Large white

Porc basque

Si le porcelet est réputé pour sa viande tendre et laiteuse, le porc basque donne les fameux jambons de Bayonne alors que le large white est connu pour sa longe.

Offrant la plus économique des viandes blanches, le porc retrouve ses qualités nutritionnelles et gustatives depuis que les producteurs ont entrepris de revaloriser ce solide pilier de notre tradition culinaire. Car, selon l'adage bien connu : «Dans le cochon, tout est bon.» La viande, bien sûr, est consommée chaude en rôti, côtelettes, saucisses, longe et palette. On la déguste aussi froide, en saucissons, salamis, jambons et rillettes. On se régale enfin des abats qui, du boudin au fromage de tête, apportent à la charcuterie une infinie variété de produits et de goûts.

Chaque région de France fait entrer le porc dans ses spécialités : les tripes à Caen, le gras-double à Lyon, l'andouille à Vire et à Guéméné, la saucisse à Toulouse. Quant à l'andouillette, elle réunit ses amateurs en une célèbre confrérie, l'A.A.A.A.A., Association amicale des amateurs d'authentique andouillette. Faut-il se rallier à ceux qui ne jurent que par celle de Troyes, pur porc, ou préférer la cambrésienne ou la lyonnaise à la fraise de veau?

CASSOULET
Couennes fraîches, travers et saucisses forment la base de tout bon cassoulet. Plus il mijote, mieux il se révèle. Il est toujours servi bouillant.

Pointe   *Côtes filet*

Jambon

Poitrine

Pied

JAMBONS

Les jambons sont légion. Crus, saumurés, séchés ou fumés, cuits sans être désossés et servis en sauce (madère), ils participent aussi bien aux repas de fête qu'à l'en-cas rapide, le fameux «jambon-beurre-cornichon».

*Prisuttu
(jambon fumé corse)*

Saucissons secs

Saucisse de Morteau

Figatelli (saucisses de foie corses mi-sèches que l'on mange grillées)

Andouillette

Saucisse sèche d'Ardèche

Rillettes et Jambon persillé

*Coppa
(Echine salée et fumée corse)*

Boudin noir

*Salsiccia
(Saucisson poivré corse)*

Côtes premières et secondes *Hampe*

Echine

Epaule

LES ABATS

Rien n'est perdu dans le cochon. Avec le sang, on confectionne le boudin, parfois aux raisins. Avec les intestins, on cuisine tripes, andouilles et andouillettes. Les oreilles se consomment grillées et croquent sous la dent. On fait aussi du pâté de son foie et de son museau, un délice relevé par une bonne vinaigrette, on déguste sa hure.

ANDOUILLES

On reconnaît l'origine de l'andouille à ses dessins : la bretonne, de Guéméné, présente des enroulements réguliers, alors que la normande, de Vire, se laisse aller à la fantaisie.

Tripes

Salers

Limousine avec son veau

Parthenaise

Bazadaise

Charolaise

La viande de bœuf est, sans conteste, la reine de nos repas. C'est la matière de base d'un grand nombre de recettes, les grillades étant à l'honneur en été, et l'hiver voyant revenir des plats traditionnels comme la daube ou le pot au feu, le bœuf miroton ou le bœuf gros-sel. Le cheptel français est varié et les saveurs à l'image de cette variété. Viandes à griller, viandes à servir en sauce, le choix est considérable. La viande de veau est tendre, spécialement quand ils sont «élevés sous la mère». Quant aux moutons, la tendance actuelle privilégie l'agneau, plus tendre et plus raffiné. Mais peut-on oublier la chair parfumée des moutons de prés-salés qui ont brouté salicornes et saladelles?

18 13 14 16 15 11 12 17

Tranche
Bavette à bifteck
Filet

2. Verser les oignons coupés en lamelles, les faire blondir et ajouter les tomates pelées.
3. Couvrir d'eau chaude et laisser mijoter 2 heures 1/2.

1. Introduisez les olives dénoyautées dans la viande et faites-la dorer dans une cocotte avec de l'huile.

CARRÉ DE BŒUF À LA NIÇOISE
Un bon morceau de gîte de bœuf, des olives noires et vertes, 2 oignons, 4 tomates, sel, poivre.

Et maintenant, bon appétit !

16

3 **1**

10 **7**

8 **4**

5

2

6

Hampe

Jumeau à bifteck

Jumeau à pot-au-feu

LAITON OU AGNEAU BLANC
Nourri à base de lait. Graisse bien blanche, viande rose foncé. Excellente viande de boucherie.

2 **3** **4** **5**

1

6 **7**

MOUTON BLEU DU MAINE
En croisement avec une race améliorée pour ses aptitudes bouchères. Viande excellente et peu grasse.

LE BŒUF
A l'avant se trouvent les morceaux à braiser ou à bouillir, en arrière, les morceaux «nobles».

1. et 2. Collier
3. Basses côtes
4. Macreuse
5. Plat de côtes découvert
6. Gîte de devant
7. Entrecôtes
8. Plat de côtes couvert
9. Poitrine
10. Faux-filet
11. Bavette à pot-au-feu
12. Flanchet
13. Rumsteck
14. Aiguillette baronne
15. Tranche grasse
16. Gîte à la noix
17. Gîte de derrière
18. Queue

L'AGNEAU
Grillé (G) ; braisé (B) ; ragoût (R).

1. Gigot (G)
2. Selle anglaise (G)
3. Carré ou côtes premières et secondes (G)
4. Côtes découvertes (G)
5. Collier ou collet (G, B, R)
6. Poitrine ou épigramme haut de côtes (G, B, R)
7. Epaules (G, B)

BROCHETTES
Un des plats préférés de l'été, époque des barbecues et des repas pris en plein air. Accompagnez-les d'oignons, de lardons et de poivrons.

MOUTON BERRICHON DU CHER
Race rustique caractérisée par une remarquable production du gigot.

LES ABATS DU VEAU
Ils sont de deux sortes, les rouges, foie, ris et rognons, et les blancs, tripes, pieds et tête.

LE GIGOT
Il doit être plutôt rosé. Le découper en larges tranches parallèlement à l'os. Ne pas oublier la délicieuse «souris».

MOUTON DE SOLOGNE
Agneau à la carcasse de 17 à 20 kg. Viande souvent classée «extra».

LES LÉGUMES

BF 15

Bintje

Ratte

Roseval

Les légumes frais font, depuis quelques années, une rentrée remarquée dans nos assiettes. Prônés par la nouvelle cuisine, à peine cuits, croquants, ils nous apportent des saveurs oubliées depuis de longues années. Ils mettent en cause le trio bien connu riz, pâtes, pomme de terre qui, s'il peut apporter de subtiles saveurs, n'en finit pas moins par lasser. Cuits, en sauce, gratinés, en salade ils offrent de nouvelles voies à la gastronomie. Ici aussi, les régions ont leur mot à dire. Et s'il est difficile de fixer précisément aujourd'hui l'origine d'une carotte ou d'une pomme de terre, certaines régions gardent encore des spécialités qui rappellent les traditions du terroir. Le poireau, le céleri-rave, la bette et le cardon dans le Nord, les choux-fleurs, les oignons et les artichauts en Bretagne, les cèpes du Bordelais et les truffes du Périgord restent des emblèmes de leur région.

Melon de Cavaillon

Artichaut camus de Bretagne

Girolle

Cèpe de Bordeaux

POMMES DE TERRE
Il en existe de nombreuses espèces. Les unes ont une chair molle. Elles sont peu utilisées pour la cuisine mais servent à préparer les flocons et les purées-minute. Les autres, à chair ferme, entrent dans de multiples recettes. Pommes pailles, allumettes, chips, pommes frites, sont parmi les modes de préparation les plus appréciés des consommateurs.

Oignon frais

Oignon courant

Ail blanc

Echalote

Oignon grelot

Ail rouge

OIGNON, AIL, ÉCHALOTE
S'ils sont tous des condiments, certains sont aussi des légumes à part entière. Les tartes et les soupes à l'oignon en sont un bon exemple, mais aussi les échalotes, délicieuses au four.

Courgette et aubergine

Poivron

Tomate sicilienne *Tomate perline*

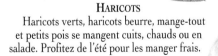

PIPERADE

6 œufs, 60 g d'huile,
1 kg de piments verts,
1kg de tomates, 60 g
d'oignons, une gousse
d'ail, du sel.Faire
revenir dans l'huile
chaude oignons, piments
et tomates pelées,
épépinées, ajouter l'ail
pilé, saler et cuire
doucement.Battre
les œufs en omelette
et les incorporer aux
légumes. Cuire
doucement afin de
brouiller les œufs. Servir
avec du jambon cru.

HARICOTS

Haricots verts, haricots beurre, mange-tout
et petits pois se mangent cuits, chauds ou en
salade. Profitez de l'été pour les manger frais.

CONCOMBRE

Le concombre est le légume frais de
l'été. Il faut le faire dégorger dans du sel.

HERBES ET SALADES

Laurier

Ciboulette   Basilic

Dans salade, il y a sel. Le mot salade désignait, jadis, les mets salés élaborés à partir d'herbes assaisonnées d'huile, de vinaigre et de sel. Aujourd'hui, ce terme évoque la santé, la fraîcheur, la nature et la facilité de préparation. Pourtant, l'art de la salade, qui paraît si simple, est très subtil. Les amateurs sauront jouer des consistances et des couleurs et, surtout, réussir les sauces auxquelles ils ne manqueront pas d'incorporer herbes… et fleurs: la capucine, par exemple, est très appréciée des palais les plus fins.

Aneth

BOUQUET GARNI
Pour aromatiser un court-bouillon ou un plat en sauce, il est d'usage d'adjoindre un bouquet d'herbes aromatiques dont la composition varie selon la région et la saison mais qui est constitué à base de thym et de laurier.

Persil frisé   Persil plat   *Menthe*   *Romarin*   *Thym*

Coriandre

LES FINES HERBES
Sans valeur nutritive, elles ont un rôle important. Elles apportent un goût, une saveur dont le but est de relever un plat qui paraîtrait trop fade. On les utilise crues, dans les sauces vinaigrettes: c'est le cas de l'estragon, du persil, de la menthe, de la ciboulette.

LES HUILES AROMATISÉES
Du thym, de l'estragon, du basilic ou du romarin, placés dans des bouteilles d'huile leur donnent des parfums particuliers.

Estragon

Batavia

Lolla rossa

C'est un mélange de diverses salades créé pour combiner saveurs, consistances et couleurs. Ceci ajoute le plaisir des yeux au plaisir du goût.

Scarole

Laitue

Chicorée rouge

Trévise

Frisée

Feuille de chêne

SALADES

Il en existe plusieurs variétés qui diffèrent par leur goût, plus ou moins amer, leur consistance, plus ou moins croquante, leur couleur qui va du vert pâle au rouge pourpre. Selon les sauces qui les accompagnent et les ajouts qu'on y incorpore, œufs, lardons, champignons, fromages, on obtient une infinité de recettes.

Avec plus de 400 variétés, la France est le pays-roi du fromage. Il existe 6 familles de fromages affinés. 32 d'entre eux bénéficient d'une A.O.C. (appellation d'origine contrôlée). L'immense éventail des spécialités régionales comprend des fromages longuement affinés ou frais. Ils sont fabriqués à base de lait de vache, de chèvre ou de brebis. Cependant, jamais personne n'est arrivé à dresser un inventaire complet des fromages de notre pays. Certains ont disparu, même si l'on en parle toujours. D'autres naissent ici et là. Ils deviendront peut-être les grands noms de demain.

Saint-nectaire
PÂTES PRESSÉES NON CUITES
Sous une croûte dure, une pâte souple, très parfumée.

Bleu d'Auvergne
PÂTES PERSILLÉES
C'est le *penicillium* qui dessine les marbrures dans les pâtes lisses et grasses.

Brie de Meaux
PÂTES MOLLES À CROUTE FLEURIE
Croûte duveteuse, pâte onctueuse, au lait cru ou pasteurisé.

Pont-l'évêque
PÂTES MOLLES À CROUTE LAVÉE
Placées dans des bains de saumure parfois enrichis (cidre, bière). Croûte lisse, jaune à orangée, pâte onctueuse, saveur corsée.

Valencay
CHÈVRES
Frais, demi-frais, sec, dur, cendré, une large gamme de fromages exclusivement au lait de chèvre

Gruyère

PÂTES PRESSÉES CUITES
Une saveur fruitée pour ces fromages à maturation lente.

1. Vacherin du Haut-Doubs
2. Cantal
3. Salers
4. Comté
5. Fourme (Ambert ou Montbrison)
6. Bleu d'Auvergne
7. Beaufort
8. Laguiole
9. Roquefort
10. Pouligny-saint-pierre
11. Reblochon
12. Livarot
13. Bleu de Gex
14. Chaource
15. Bleu des Causses
16. Ossau-Iraty
17. Pont-l'évêque

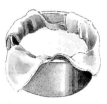

LE CAILLAGE
Ferment lactique et, parfois, pressure, ajoutés au lait permettent la coagulation de la caséine qu'il contient.

L'ÉGOUTTAGE
Le caillé découpé et brassé est séparé du petit lait pour obtenir une masse de caillebotte, le futur fromage.

LE MOULAGE
La caillebotte est moulée dans des récipients de formes et de matériaux variés, bois, tissus. Le fromage prend alors sa forme définitive.

LE SALAGE
A sec pour les pâtes molles, dans des bains de saumure pour les pâtes pressées. Opération antiseptique qui détermine le goût et l'aspect.

L'EMBALLAGE
Il doit renseigner le consommateur sur le nom du fabricant et la teneur en matière grasse.

L'AFFINAGE
De quelques jours à plusieurs mois. La phase de maturation se déroule dans des locaux où l'humidité et la température font l'objet de soins attentifs.

18. Munster
19. Selles-sur-Cher
20. Brie de Meaux
21. Crottin de Chavignol
22. Neufchâtel
23. Brie de Melun

24. Maroille
25. Saint-nectaire
26. Camembert de Normandie
27. Picodon (Ardèche et Drôme)

28. Abondance
29. Chabichou du Poitou
30. Sainte-maure
31. Epoisses
32. Langres

LA CARTE DE FRANCE DES FROMAGES
Où que vous soyez en France, vous ne serez jamais loin d'une spécialité fromagère.

LES VINS

Bordeaux

APPELLATIONS CONTROLÉES

Les vins sont classés selon 3 appellations : les A.O.C. (appellations d'origine contrôlée), réservées aux grands vins, les V.D.Q.S. (vins délimités de qualité supérieure), excellents vins régionaux, et les vins de pays. Le millésime (année de production) est très important.

Peut-on imaginer la France sans ses vins ? Et peut-on imaginer un vin sans son cépage, c'est-à-dire la variété de la vigne dont il est tiré ? Le vin rouge provient de raisins noirs : c'est la macération des peaux dans le jus pressé qui lui donne sa coloration. Il en est de même pour le vin rosé, mais l'opération s'effectue dans un laps de temps plus court. Il est rigoureusement interdit – sauf en Champagne – de mélanger le rouge au blanc. Quant à ce dernier,

LES CÉPAGES

Il existe une quinzaine de cépages principaux en France. Le cabernet noir, le cabernet-sauvignon, le côt, le gamay, le grenache noir, le merlot, le pinot noir, la syrah, le chardonnay, le chenin blanc, le gewurztraminer, le muscadelle, le muscadet, le muscat,

Bourgogne

Le chenin blanc donne des vins effervescents, secs, demi-secs ou moelleux.

Le gamay donne des vins légers, fruités et gouleyants que l'on boit jeunes et frais.

Vendange tardive de chenin blanc

Champagne

il provient de raisins blancs ou de raisins rouges à jus blanc. Au cours de son élaboration, on prend garde à ce que les peaux, quelle que soit leur couleur, ne restent pas en contact avec le jus. Pour les vins effervescents, on effectue une seconde fermentation en bouteille. Les vins doux subissent un arrêt de fermentation obtenu par adjonction d'alcool.

le riesling, le sauvignon et le sémillon. Ces cépages peuvent être propres à une région comme le chenin blanc en Val-de-Loire, ou le riesling en Alsace. Certains vins proviennent d'un mélange de cépages, tels certains bordeaux ou certains champagnes. D'autres sont tirés d'un seul d'entre eux, le beaujolais, par exemple.

Beaujolais

CABERNET FRANC OU BRETON

C'est parce qu'il a transité par la Bretagne que ce cépage porte ce nom. Il produit des vins rouges bouquetés.

Le côt donne des vins rouges puissants et des rosés.

Le sauvignon donne des blancs secs, vifs et très aromatiques.

Cabernet franc ou breton

VINIFICATION DES ROUGES

Pour obtenir des rouges, les raisins sont triés, égrappés et débarrassés des rafles (queues). La vendange cuve plusieurs jours. Le jus se colore au contact des peaux. Les sucres fermentent sous l'action des bactéries. Le marc est pressé et le jus distribué dans des cuves où il est élevé. Puis il est mis en fût.

VINIFICATION DES BLANCS

Pour obtenir des blancs, les raisins égrappés sont pressés le plus rapidement possible dans un pressoir le plus souvent pneumatique. Les jus sont mis en cuve de fermentation et débarrassés de leurs impuretés (lie) par précipitation à froid. La vinification des vins de vendanges tardives se fait en fût, ou en bouteille pour les vins effervescents.

25

Framboise Myrtille
Fraise Airelle

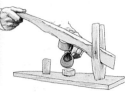

Groseille à
maquereau

Cassis Groseille

Doux ou acides, charnus ou aqueux, les fruits savent jouer tous les rôles dans un repas. Ils peuvent en être les personnages principaux lorsqu'on les mange en dessert. Ils peuvent tenir seulement une place de figurant, accompagner l'entrée, s'intégrer à la composition de sauces aigres-douces, relever un plat de viande ou de gibier. On en fait des salades, des tartes et des tartelettes. On les transforme en marmelade et en confiture, en jus et en sirop. On en fait des sorbets. On les retrouve enfin en confiserie.

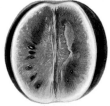

Pastèque

Brugnon

Passe-crassane   Louise bonne   Conférence

Williams   Comice   Beurré-hardy

Pêche jaune

LA PLATISSOIRE
La poire tapée est une recette oubliée qui renaît à Rivarennes, au bord de la Loire.

La poire, déshydratée au four, est aplatie puis mise en bocal. On peut déguster ces poires nature, au vin, ou encore avec de l'eau de vie.

POIRES

Les poires se dégustent toute l'année, mais elles sont encore plus agréables dans la chaleur de l'été. On les consomme crues, pochées, au vin. On y ajoute parfois un coulis de chocolat pour les transformer en poires belle-hélène. Elles entrent dans la composition de nombreuses pâtisseries. On en tire enfin un alcool blanc réputé.

Nectarine

Cerise

Abricot

CONFITURE D'ABRICOTS

Pour 10 pots de taille moyenne, il faut dénoyauter 5 kg d'abricots et ajouter 2,5 kg de sucre. On laisse cuire le mélange dans une casserole à fond épais pendant 1 heure environ, en remuant de temps en temps. Cassez quelques noyaux, prenez les amandes et mettez-les dans la confiture pendant la cuisson.

TARTE TATIN

Des pommes reinettes, de la farine, du beurre ramolli, 1 œuf, de l'eau, du sucre et du sel.

1. Faites une pâte brisée et incorporez-y l'œuf entier et l'eau.
2. Formez une boule et laissez reposer 1 heure.
3. Pelez les pommes et coupez-les en gros morceaux.
4. Dans un moule rond, faites dorer les pommes dans le beurre et le sucre.
5. Roulez la pâte en un disque épais.
6. Placez cette pâte sur les pommes.
7. Cuire 45 mn.
8. Retournez et servez chaud.

Canada *Reine des reinettes* *Cox orange*

Pêche de vigne

Golden *Melrose* *Granny-smith*

POMMES

La pomme est le fruit le plus consommé en France. Sa chair est juteuse et croquante, plus ou moins acidulée selon les espèces. Conservée en chambre froide, on peut la consommer toute l'année. Elle permet de préparer de nombreuses pâtisseries, les tartes, les aspics et les chaussons par exemple. On en tire le cidre et un alcool, le calvados.

Figue *Quetsche*

Mirabelle *Reine-claude*

LA PÂTISSERIE

Sablés de Nancay
Croquets de Noyers

Madeleine de
Commercy

Galettes punch d'Uzel

Choquards
d'Yffignac

Traou mad de Pont-Aven

Galettes de Pleyben

Anis du Var

La gourmandise passe obligatoirement par la pâtisserie.

Les boulangers l'ont bien compris. Ils ont, le plus souvent, ajouté «pâtissier» au nom de leur métier. Et les étals de leur magasin montrent plus de gâteaux que de pains. C'est ainsi qu'en parcourant la France on découvre dans chaque région des spécialités gourmandes sans lesquelles on ne pourrait terminer un repas de fête. Gâteaux à la crème, tartes aux fruits, gâteaux aux amandes et aux noix, meringues, brioches et charlottes, fondants et flans, il y en a pour tous les goûts . Profitez de vos vacances pour découvrir des saveurs sucrées que vous n'avez pas l'habitude de déguster le long de l'année.

SABLÉS
Travaillez dans une terrine l'œuf avec du sucre et un peu de sel. Ajoutez la farine et mélangez bien. Déposez la pâte sur une planche à pâtisserie et incorporez-y du beurre. Travaillez le tout avec les mains. Etendez au rouleau et coupez des gâteaux de forme régulière. Faites cuire à four moyen.

2

1

4

5

3

Beurre doux   *Beurre salé*   *Crème épaisse*   *Crème fleurette*

Cacao   *Sucre*   *Vergeoise*   *Cassonade*

Farine de froment   *Farine de maïs*   *Vanille*

INGRÉDIENTS NÉCESSAIRES

Les constituants de base de la pâtisserie se résument à la farine, au beurre, aux œufs et au sucre. Ajoutez-y la crème, la cassonade, les fruits frais ou confits et de multiples parfums, cacao, vanille, cannelle, et vous obtiendrez toutes les recettes imaginables. Laissez donc aller votre créativité.

KOUIGN-AMANN
Spécialité de Douarnenez.
Farine, beurre, sucre, levure de boulanger, sel et eau

1. Dans une terrine, mélangez la farine avec le sel et la levure. Malaxez avec un peu d'eau. Laissez cette pâte lever pendant 30 mn.

2. Etalez la pâte en forme de crêpe et étalez le beurre. Recouvrez la partie beurrée de sucre en poudre. Rabattez les bords. Laissez reposer 10 mn au frais.

3. Recommencez l'opération avec le reste du beurre. Dorez à l'œuf, saupoudrez de sucre et faites cuire à four très chaud pendant 30 mn. Si le beurre

coule, récupérez-le et arrosez le gâteau.

1. Forêt noire
2. Courchevel
3. Normand
4. Choux à la crème Chantilly
5. Paris-brest
6. Tropézienne
7. Pain d'épice de Dijon
8. Tarte aux poires et aux abricots
9. Kouglof

8

9

7

6

LA CONFISERIE

De toutes les spécialités régionales, les confiseries sont sans doute celles qui marquent le plus la mémoire. Souvenirs de voyages, cadeaux reçus ou offerts portent un témoignage sur l'habilité et la créativité de ceux qui se sont, un jour, consacrés au sucre.

Il n'est pas de ville, pas de région qui ne s'enorgueillisse d'un tel héritage : bêtises à Cambrai, pralines à Montargis, dragées à Verdun, nous racontent un peu l'histoire de leur cité. Et celle-ci se réfère souvent à une anecdote qui leur donne une sorte de certificat d'authenticité : l'un a découvert une recette miracle par erreur, l'autre a su plaire au prince, tous ont laissé un héritage qui porte au loin la renommée de leur origine. Partons donc sur leurs traces. Et si l'artisan-confiseur n'est plus qu'un souvenir, ses recettes sont toujours présentes, pour notre bonheur et celui de notre entourage.

CARAMEL

Mêlez le sucre et l'eau

et chauffez jusqu'à ébullition. Le sirop passe par différentes phases à mesure que la température s'élève : lissé, perlé, filé, soufflé, boulé, cassé et, enfin, blond. Retirez le moule de la chaleur, donnez-lui un mouvement de rotation pour qu'il s'enduise de caramel. En refroidissant, celui-ci s'épaissira et durcira.

CALISSON
D'origine italienne, le calisson est apparu à Aix-en-Provence au début du XVIIᵉ siècle.

Parfumé à la fleur d'oranger, cette pâte d'amandes douces accompagnée d'un mélange subtil de fruits confits, melon, orange, mandarine, abricot, cuit pendant environ 30 mn. Elle est ensuite desséchée après 48 heures de repos et disposée dans un moule sur une feuille de pain azyme. Le tout est glacé puis chauffé à 150° C pendant 10 mn. Il ne reste plus qu'à les ranger dans les fameuses boîtes qui épousent parfaitement leur forme.

Négus de Nevers *Pâtes de fruits*

Bêtises de Cambrai

Anis de Flavigny

Nougats de Montélimar

Angélique de Nice

Grains de café

Nougatines
de Nevers

Bonbons acidulés de Vichy

Bergamottes
de Nancy

Violettes de
Toulouse

Réglisse

Prune et poire
confites

Pralines de Montargis

Sèves de pin
des Vosges

Forestines de Bourges

Berlingots de Carpentras

Pâtes
d'amande

Cailloux
du Gave

QUIZ

**Pour chacune de ces questions, il n'y a qu'une seule bonne réponse.
Trouvez-la et regardez la solution en bas de page.**

1 La coquille Saint-Jacques
se pêche:
A. toute l'année
B. en été
C. toute l'année
   sauf en été

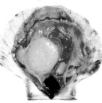

2 Le charolais est :
A. un fromage
B. un cépage
C. un élevage

3 Les amateurs d'andouillette se
retrouvent à :
A. l'A.A.A.A.
B. l'A.A.A.A.A.
C. l'A.A.A.A.A.A.

4 L'acidité de l'huile d'olive pure
est :
A. inférieure à 1%
B. inférieure à 1,5%
C. supérieure à 3,3%

5 La pâte du saint-nectaire est :
A. pressée non cuite
B. molle à croûte fleurie
C. pressée cuite

6 La palette provient :
A. du porc
B. du bœuf
C. du mouton

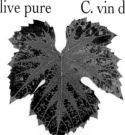

7 Le mesclun est :
A. un coquillage
B. un morceau de porc
C. un mélange de salades

8 VDQS signifie :
A. vin de qualité supérieure
B. vin dit de qualité supérieure
C. vin délimité de qualité supérieure

ISBN 2-07-058555-7. © Nouveaux-Loisirs 1994.
Dépôt légal : juin 94. Imprimé en Italie